Aprendo
a leer y escribir

Método fonético silábico

Autora: Mónica Sarmiento

Ilustradora: Agustina Lopes

Este libro es de:

Published by Mónica Sarmiento
E-mail: mssarmiento@hotmail.com
Menlo Park,CA 94025

Library of Congress Cataloging-in-Publication Data

Mónica Sarmiento, Author
Agustina Lopes, Illustrator

ISBN: 978-1-7346665-2-6
Printed in the United States of America. First Edition

Aprendo a Leer y Escribir is a book based on the Phonetic Syllabic Method, that provides children with a series of carefully thought out and well-sequenced activities that will ensure their success in learning to read and write in Spanish.

Why a Phonetic Syllabic Method?

After having been teaching for more than 30 years to hundreds of children I have arrived to the conclusion that the best method to learn to read Spanish is a Phonetic Syllabic Method.

Spanish is the perfect candidate to be taught according to a phonetic approach. Why? Because Spanish is also an alphabetic language. This means that there is almost a perfect one-to-one correspondence between the sounds and the letters that represent those sounds. Children must learn to develop such correspondence.

Spanish is also a syllabic language. A syllable is a sound unit that can be easily learned. Syllables are more natural than letter sounds because they are easier for children to pronounce, and to recognize.

How is this method used in Aprendo a Leer y Escribir?

The Phonetic Syllabic Method used in Aprendo a Leer y Escribir introduces each of the five vowels by emphasizing the reading and spelling of each of them. Then, syllables are introduced by combining each consonant with each of the vowels to form a direct syllable (consonant + vowel). Once the child dominates a new direct syllable, he is ready to combine it with another one to make a new word. This pattern repeats all along the book. By the end of the book, the child will be able to read and write any word with two or more direct syllables (any CVCV word).
Twenty-two direct syllables are introduced following a sequence based on the frequency of their appearance both in words used by early literacy texts, and in words familiar to children.

A key component of the Phonetic Syllabic Method in Aprendo a Leer y Escribir is that each new syllable introduced always appears in an initial position in the word. For example, to teach the syllable ma, words such as mama, mano, manzana, etc. are used. This makes the auditory discrimination, reproduction, and memorization of the syllable easier than if the syllable were situated at the end of a word. For example, rama for the syllable ma.

Every word in the book Aprendo a Leer y Escribir, has an illustration as a visual support to facilitate the children understanding of each word that they read.

New words are introduced with each new syllable. The words are repeated throughout the book, which facilitates their memorization, and thus the enrichment of the child's vocabulary. By the end of the book, the child will have learned 500 new words.

Aprendo a Leer y Escribir, comes in a series of five workbooks, each workbook covers the following letters.
Book 1: Vowels AEIOU; **Book 2**: M P S L T; **Book 3**: R N B F D; **Book 4**: C (ca,co,cu) C (ce,ci) que, qui. J G CH;
Book 5: V LL Y Z H K W X Ñ

Aprendo a Leer y Escribir es un libro basado en el método fonético silábico, que brinda a los niños una serie de actividades cuidadosamente pensadas y bien secuenciadas que asegurarán su éxito en aprender a leer y escribir en español.

¿Por qué un método fonético silábico?

Después de haber enseñado durante más de 30 años a cientos de niños, llego a la conclusión de que el mejor método para enseñar a leer español es un método fonético silábico. El español es el candidato perfecto para ser enseñado de acuerdo con un enfoque fonético. ¿Por qué? Porque el español también es un idioma alfabético. Esto significa que hay una correspondencia casi perfecta entre los sonidos y las letras que representan esos sonidos. Los niños deben aprender a desarrollar esa correspondencia. El español también es un idioma silábico. La sílaba es una unidad de sonido que se puede aprender fácilmente. Las sílabas son más naturales que los sonidos de letras porque son más fáciles de pronunciar y reconocer para los niños.

¿Cómo se usa este método en Aprendo a Leer y Escribir?

El método silábico fonético utilizado en Aprendo a Leer y Escribir introduce cada una de las cinco vocales enfatizando la lectura y la ortografía de cada una de ellas. Luego, las sílabas se introducen combinando cada consonante con cada una de las vocales para formar una sílaba directa (consonante + vocal). Una vez que el niño domina una nueva sílaba directa, está listo para combinarla con otra y crear una nueva palabra. Este patrón se repite a lo largo del libro. Al final del libro, el niño podrá leer y escribir cualquier palabra con dos o más sílabas directas (cualquier palabra CVCV). Veintidós sílabas directas se introducen siguiendo una secuencia basada en la frecuencia de su aparición, tanto en palabras usadas por textos de alfabetización temprana como en palabras familiares para los niños.

Un componente clave del método fonético silábico en Aprendo a Leer y Escribir es que cada nueva sílaba introducida siempre aparece en una posición inicial en la palabra. Por ejemplo, para enseñar la sílaba ma, se usan palabras como mamá, mano, manzana, etc. Esto hace que la discriminación auditiva, la reproducción y la memorización de la sílaba sean más fáciles que si la sílaba estuviera situada al final de una palabra. Por ejemplo, rama para la sílaba ma.

Cada palabra del libro Aprendo a Leer y Escribir tiene una ilustración como soporte visual para facilitar a los niños la comprensión de cada palabra que leen. Se introducen nuevas palabras con cada nueva sílaba. Las palabras se repiten a lo largo del libro, lo que facilita su memorización y, por lo tanto, el enriquecimiento del vocabulario del niño. Al final del libro, el niño habrá aprendido 500 palabras nuevas.

Aprendo a Leer y Escribir, viene en una serie de cinco libros, cada libro cubre las siguientes letras.
Libro 1: Vocales AEIOU; **Libro 2**: M P S L T; **Libro 3**: R N B F D; **Libro 4**: C (ca, co, cu) C (ce, ci) que, qui. J G CH;
Libro 5: V LL Y Z H K W X Ñ

Book 3

Rr Nn Bb Ff Dd

This book presents effective activities for teaching reading and writing
to children who are learning Spanish as a first or second language.

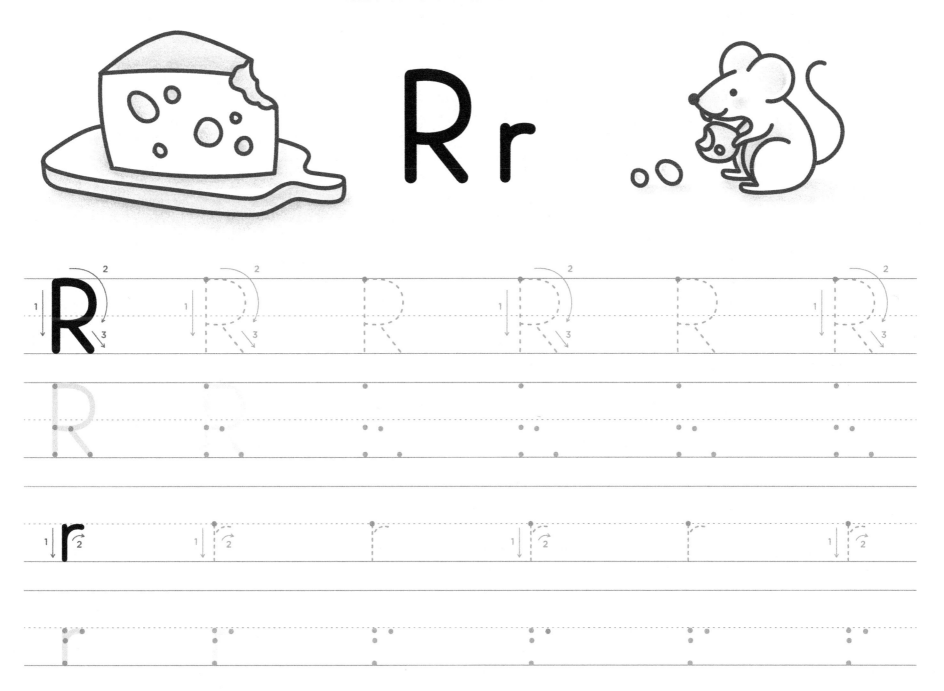

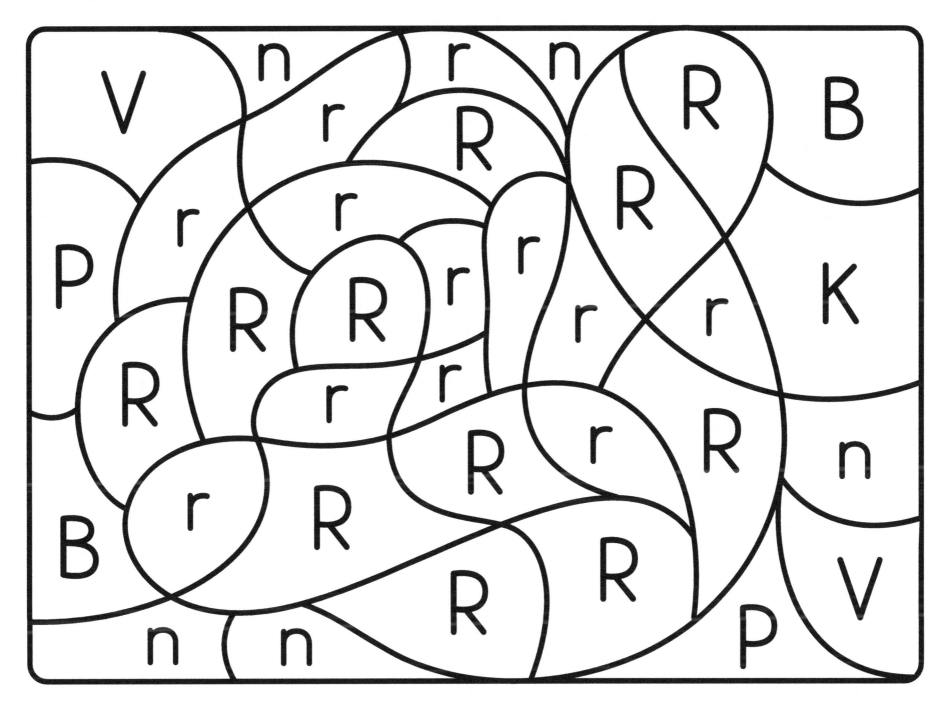

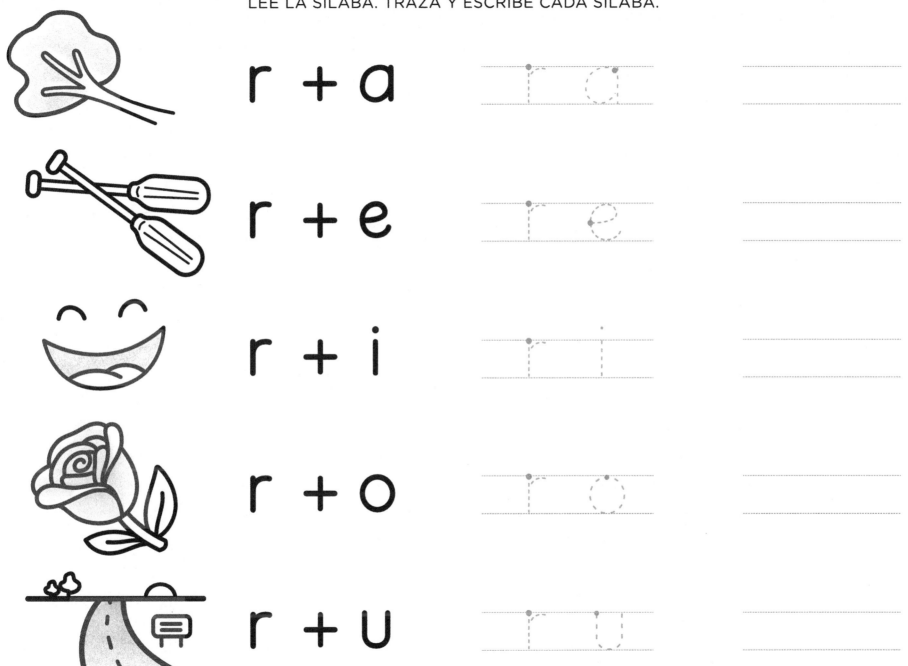

r + a

r + e

r + i

r + o

r + u

DI EL NOMBRE DEL DIBUJO Y REDONDEA LA SÍLABA INICIAL.

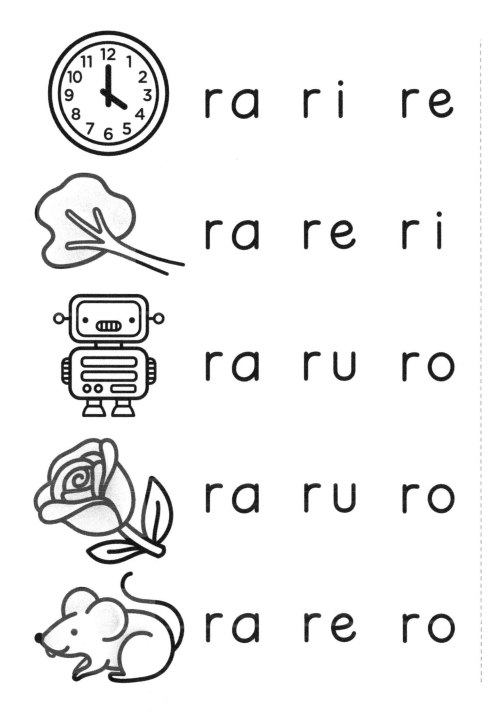

ra   ri   re

ra   re   ri

ra   ru   ro

ra   ru   ro

ra   re   ro

ri   ru   ro

ro   re   ra

re   ri   ra

ri   re   ru

ru   ra   ro

ra   re   ri   ro   ru

9

RECORTA LOS DIBUJOS Y AGRUPALOS SEGÚN SU SÍLABA INICIAL

ra re ri ro ru

PÉGALOS EN LA SIGUIENTE HOJA.

RATA RAYO RENO RAMA RÍO

RISA RELOJ REGLA RITA RUEDA

RUBÍ RUTA ROBOT ROTO ROPA

ra   re   ri   ro   ru

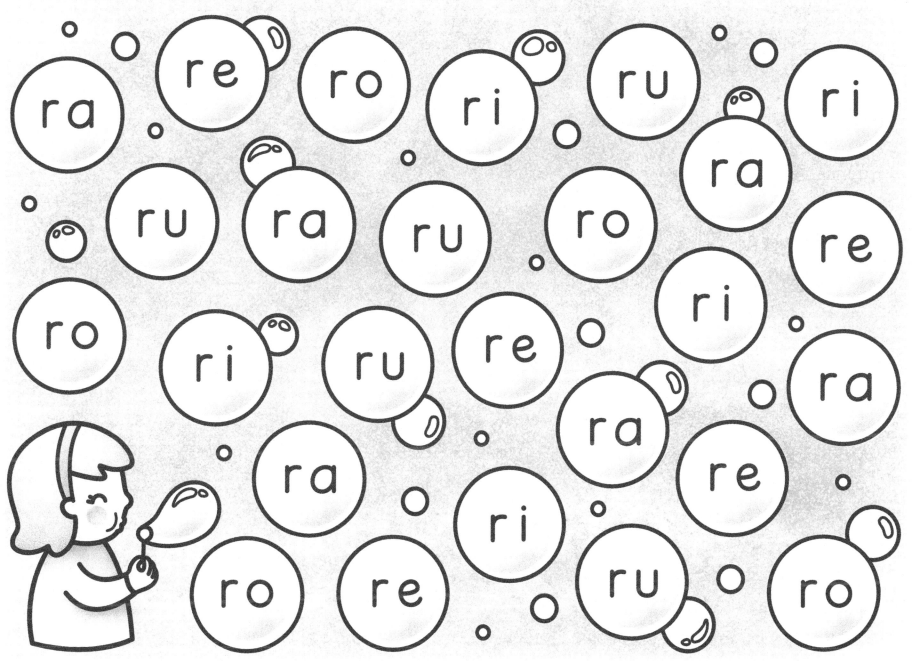

rana ː rosa

ramo ː remo

sopa ː ropa

rima ː rama

roto ː rata

misa ː risa

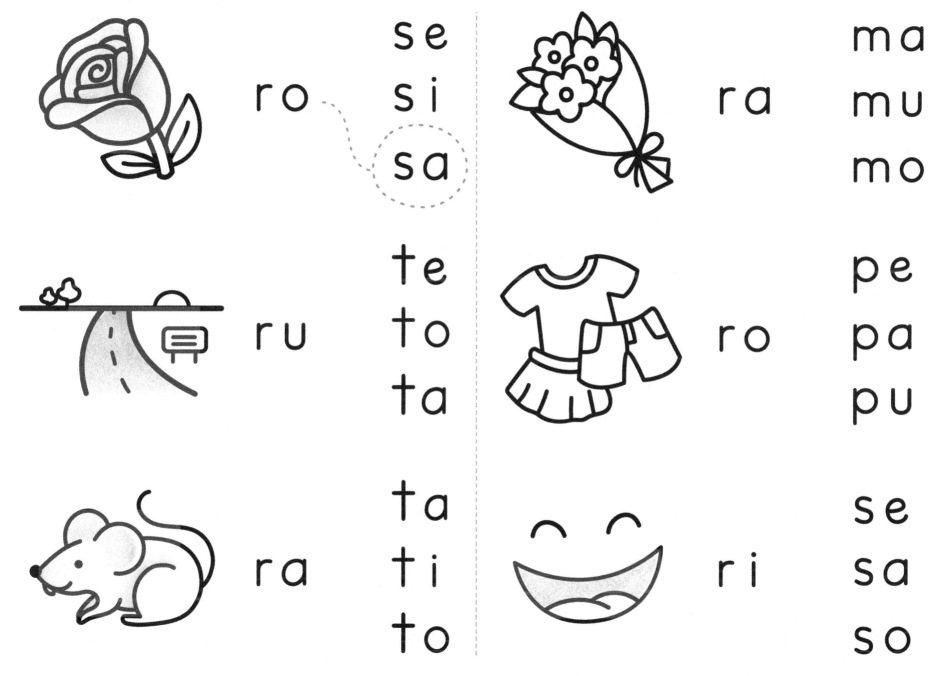

se
si
sa

ro

ma
mu
mo

ra

te
to
ta

ru

pe
pa
pu

ro

ta
ti
to

ra

se
sa
so

ri

15

r		m	
	a		o

r		t	
	u		a

r		m	
	e		o

r		s	
	o		a

r		t	
	a		a

r		p	
	o		a

16

| rana | rama | rata | risa | remo | ruta |

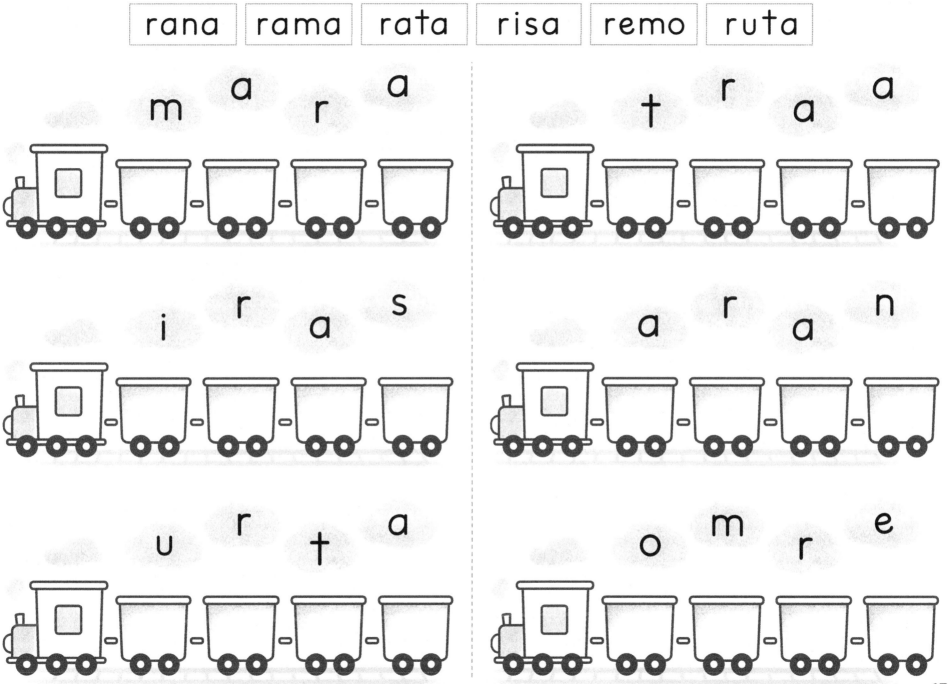

17

Nn

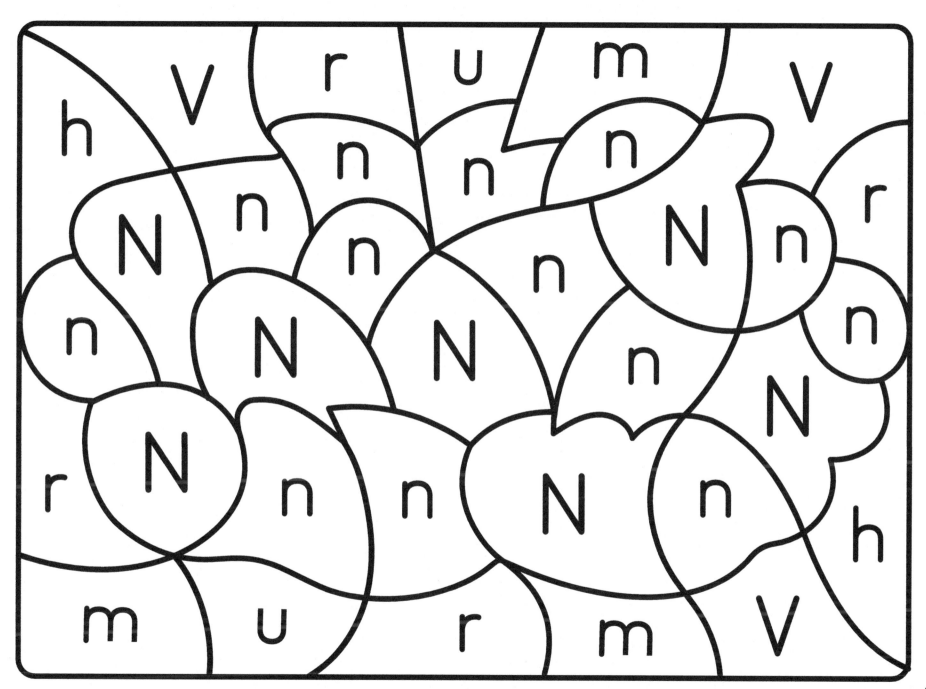

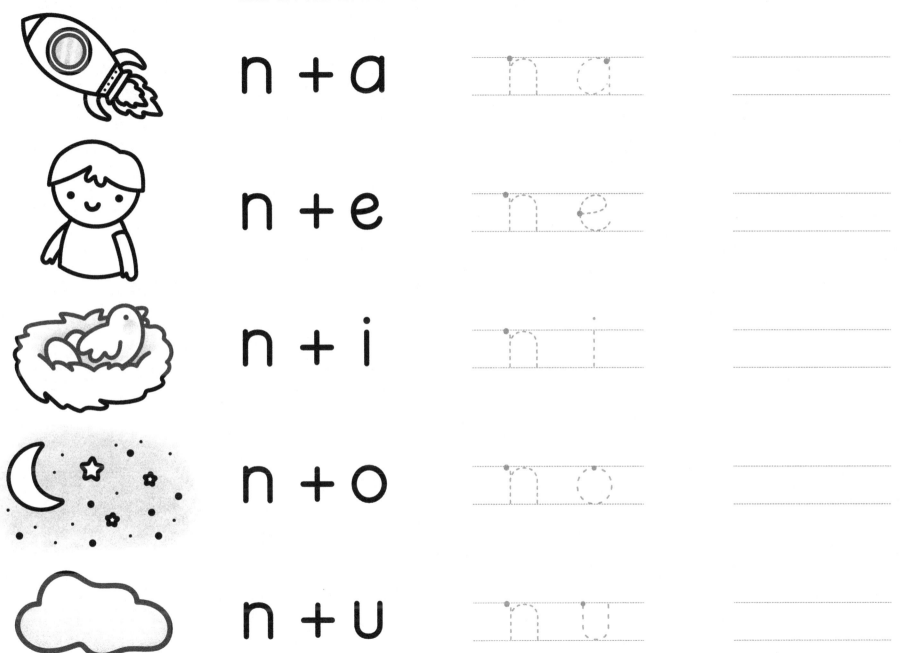

n + a

n + e

n + i

n + o

n + u

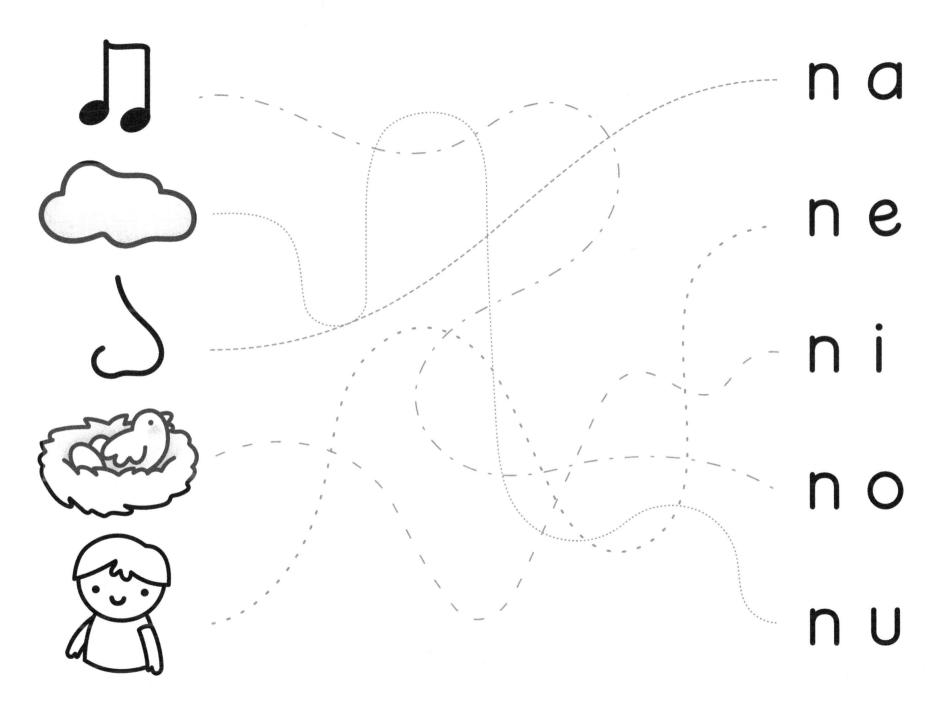

 na   ne   no

 ne   na   ni

 no   nu   na

 no   ni   ne

 na   no   nu

 ni   ne   na

 nu   no   na

 na   ne   no

 ne   ni   na

 na   no   ne

LEE Y TRAZA CADA SÍLABA. REDONDEA EL DIBUJO QUE COMIENZA CON LA SILABA QUE CORRESPONDE.

na ne ni no nu

ESCRIBE LA SÍLABA INICIAL PARA CADA DIBUJO.

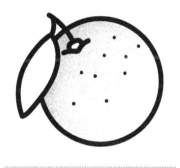

RECORTA LOS DIBUJOS Y AGRUPALOS SEGÚN SU SÍLABA INICIAL

na ne ni no nu

PÉGALOS EN LA SIGUIENTE HOJA.

NAVE	NEVAR	NARANJA	NIDO	NIÑA
NOCHE	NARIZ	NIÑOS	NENE	NOTA
NUBE	NOVIO	NUDO	NEGRO	NUEZ

na ne ni no nu

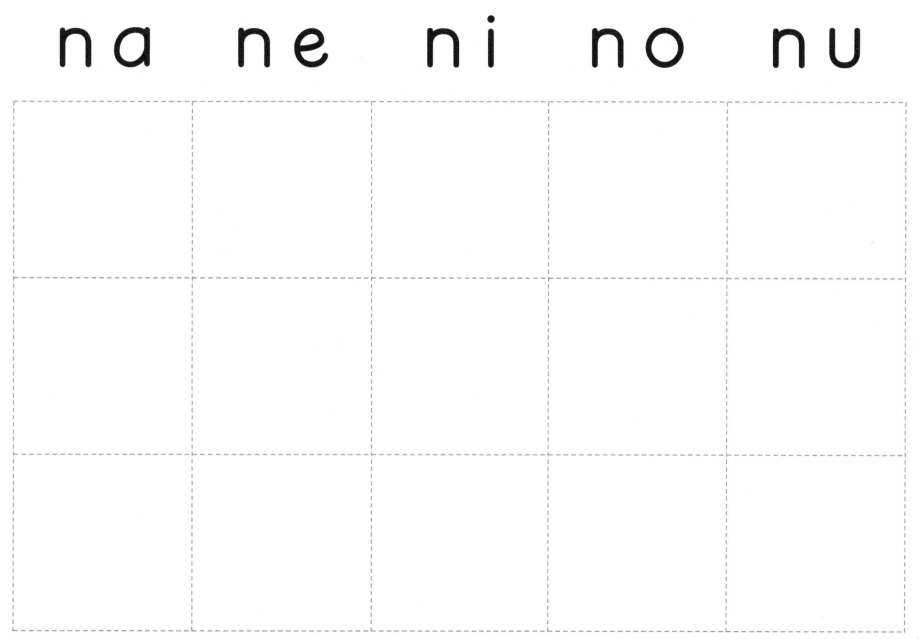

nene nota

reno rana

mono mano

mina tina

lana luna

puma pino

31

na
ne
re   no

na
ne
no

ni
mo   ne
no

ne
pi   no
nu

ne
lu   ni
na

na
ti   ne
no

te
no   ti
ta

32

luna   nota   reno   mano   nena   mono

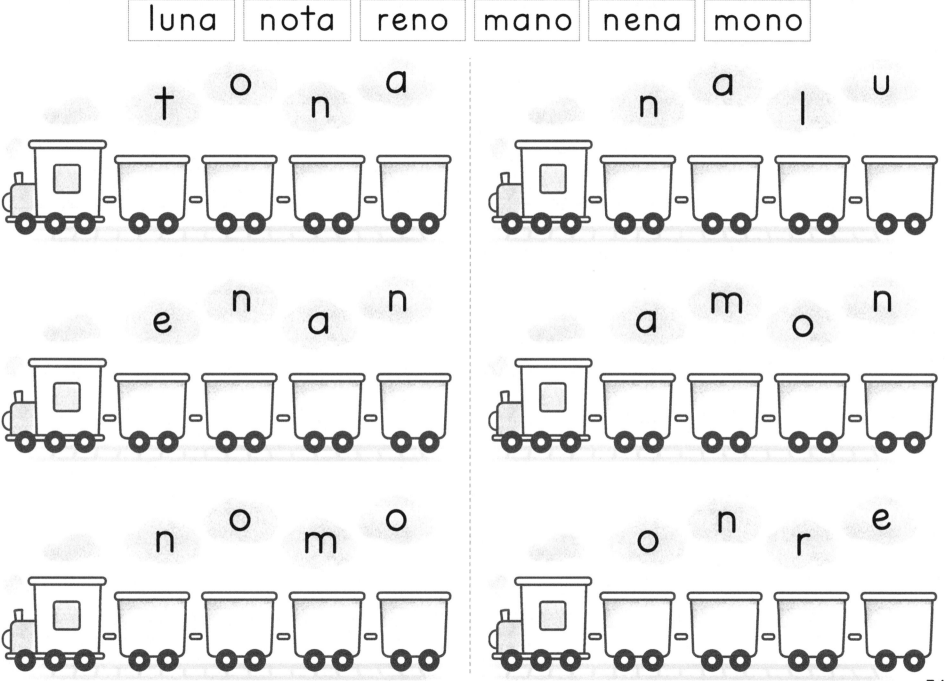

B b

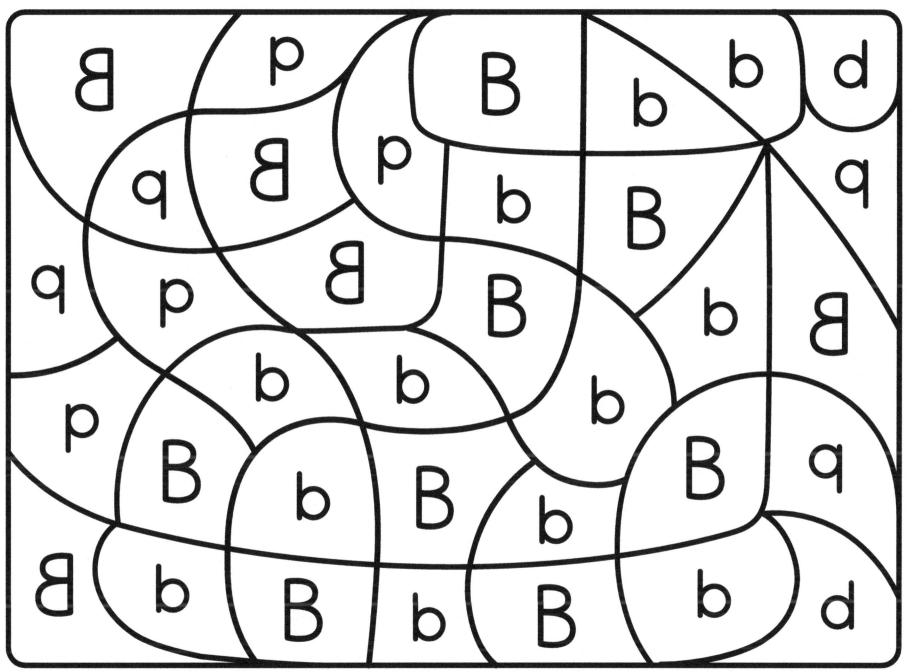

38

DI EL NOMBRE DE CADA DIBUJO. DI EL SONIDO DE LAS LETRAS.
LEE LA SÍLABA. TRAZA Y ESCRIBE CADA SÍLABA.

b + a

b + e

b + i

b + o

b + u

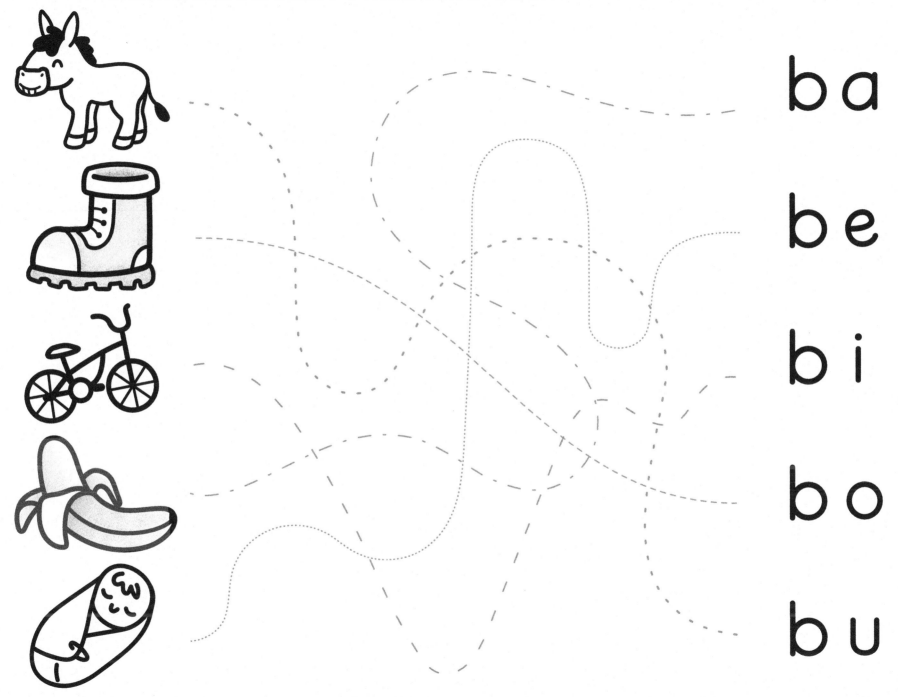

 ba be bu

 bi be ba

 be ba bo

 be bo bi

 bu ba bo

 ba bu bo

 ba bu be

 ba be bi

 be bi ba

 bo bi bu

ba be bi bo bu

43

ESCRIBE LA SÍLABA INICIAL PARA CADA DIBUJO.

44

RECORTA LOS DIBUJOS Y AGRUPALOS SEGÚN SU SÍLABA INICIAL

ba be bi bo bu

PÉGALOS EN LA SIGUIENTE HOJA.

BANANA	BEBÉ	BESO	BANDERA	BIGOTE
BOTÓN	BALLENA	BOTE	BICICLETA	BURRO
BOTA	BIBERÓN	BECERRO	BUFANDA	BUHO

ba be bi bo bu

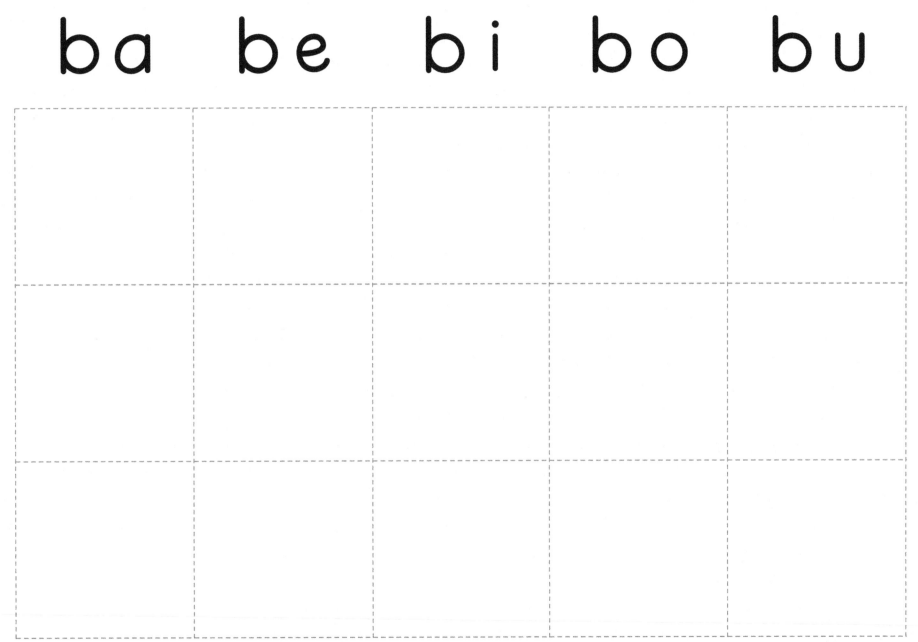

rabo | ramo

sube | suma

nabo | nube

bota | bote

bote | bota

bebe | beso

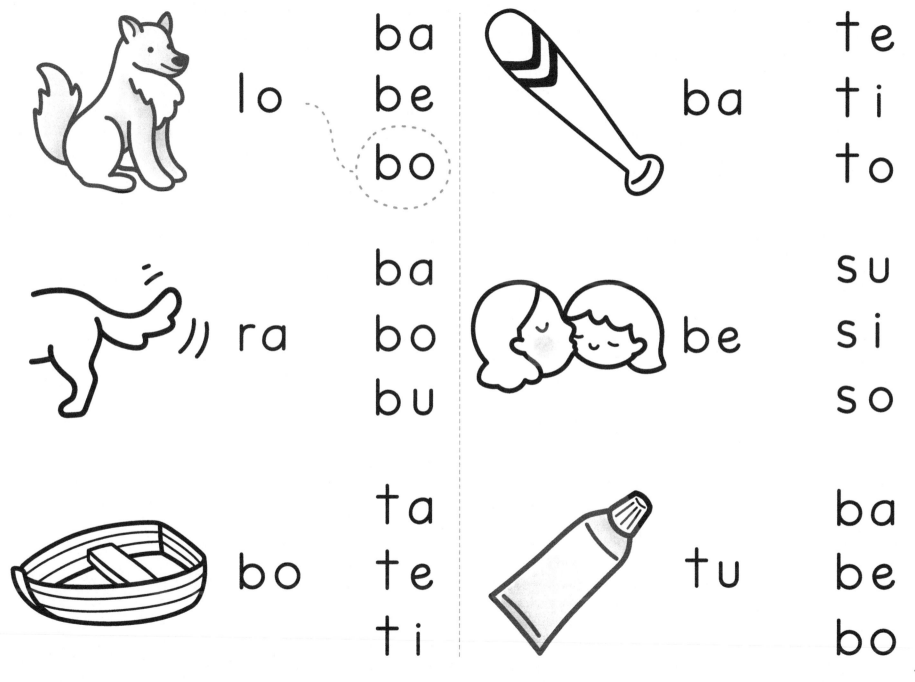

lo
ba
be
bo

ba
ti
te
to

ra
ba
bo
bu

be
su
si
so

bo
ta
te
ti

tu
ba
be
bo

49

b		t
	a	e

s		b
	u	e

n		b
	u	e

r		b
	a	o

b		t
	o	a

t		b
	u	o

| sube | lobo | nube | beso | bebe | bate |

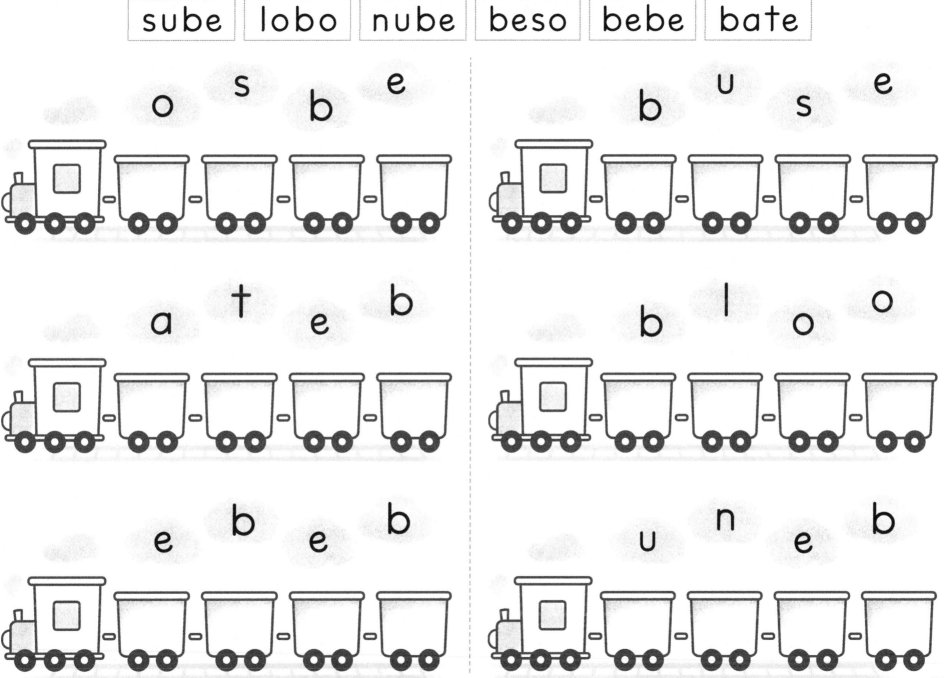

Ff

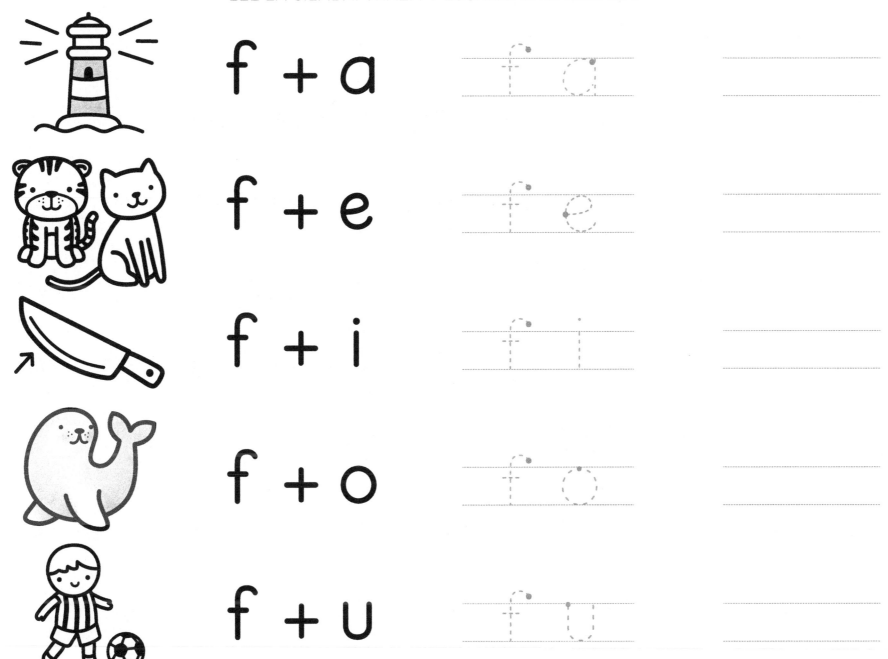

f + a

f + e

f + i

f + o

f + u

fa

fe

fi

fo

fu

COLOREA LOS GLOBOS QUE TENGAN LAS MISMAS SÍLABAS QUE LOS NIÑOS.

fa fe fi

fe fo fa

fo fu fi

fa fo fu

fa fi fo

fe fu fo

fa fe fo

fi fe fu

fa fi fu

fu fe fi

LEE Y TRAZA CADA SÍLABA. REDONDEA EL DIBUJO QUE COMIENZA CON LA SILABA QUE CORRESPONDE.

fa   fe   fi   fo   fu

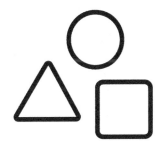

RECORTA LOS DIBUJOS Y AGRUPALOS SEGÚN SU SÍLABA INICIAL

fa fe fi fo fu

PÉGALOS EN LA SIGUIENTE HOJA.

FEBRERO	FELIZ	FILO	FOCA	FELINOS
FARO	FAMILIA	FOSIL	FUENTE	FUEGO
FUTBOL	FIDEOS	FAROL	FOTO	FIGURAS

fa   fe   fi   fo   fu

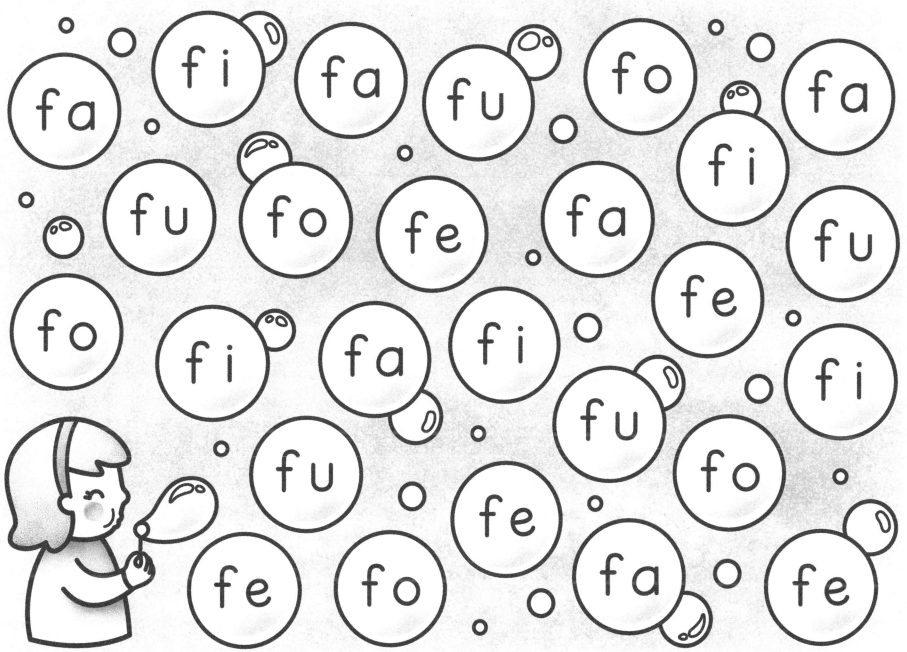

moto | foto

pino | fino

fino | filo

fosil | faro

palo | faro

fila | tina

65

fo

te
ti
to

fi

la
le
li

fi

lo
le
lu

fa

ru
ro
re

fo

sel
sul
sil

fi

na
no
ne

66

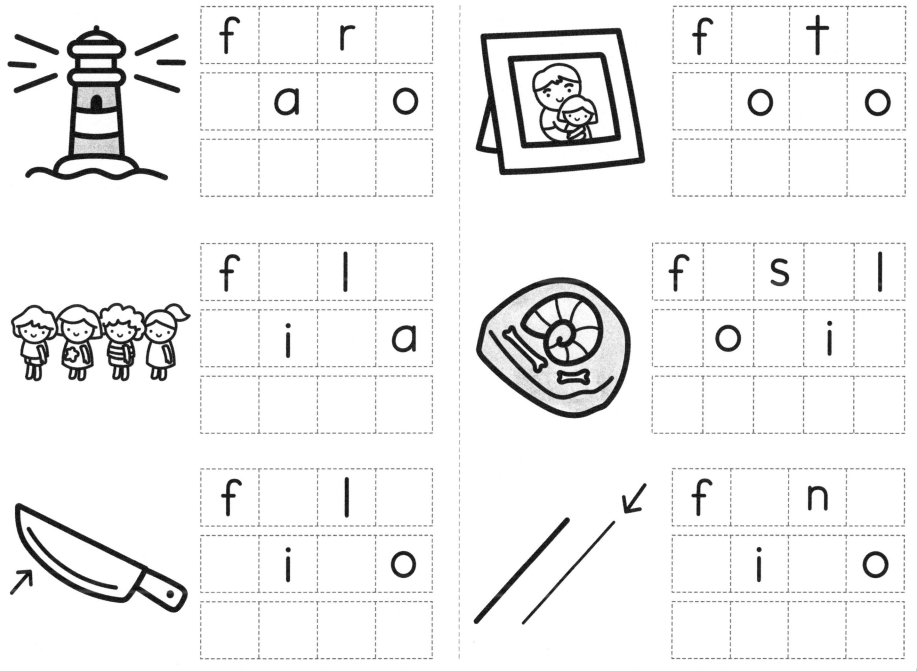

| faro | filo | fino | fila | foto | fosil |

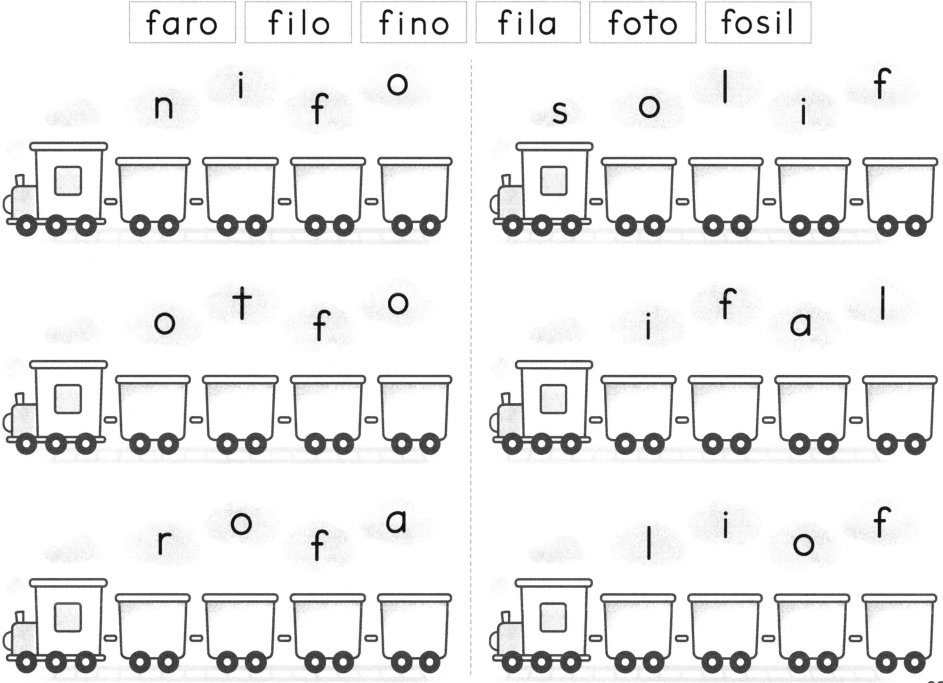

68

Dd

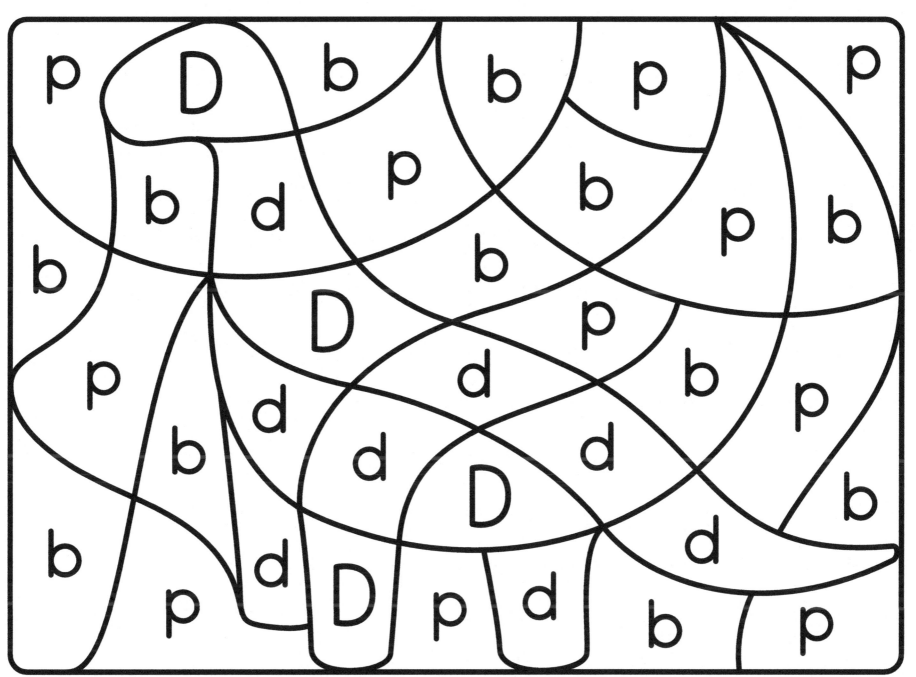

DI EL NOMBRE DE CADA DIBUJO. DI EL SONIDO DE LAS LETRAS. LEE LA SÍLABA. TRAZA Y ESCRIBE CADA SÍLABA.

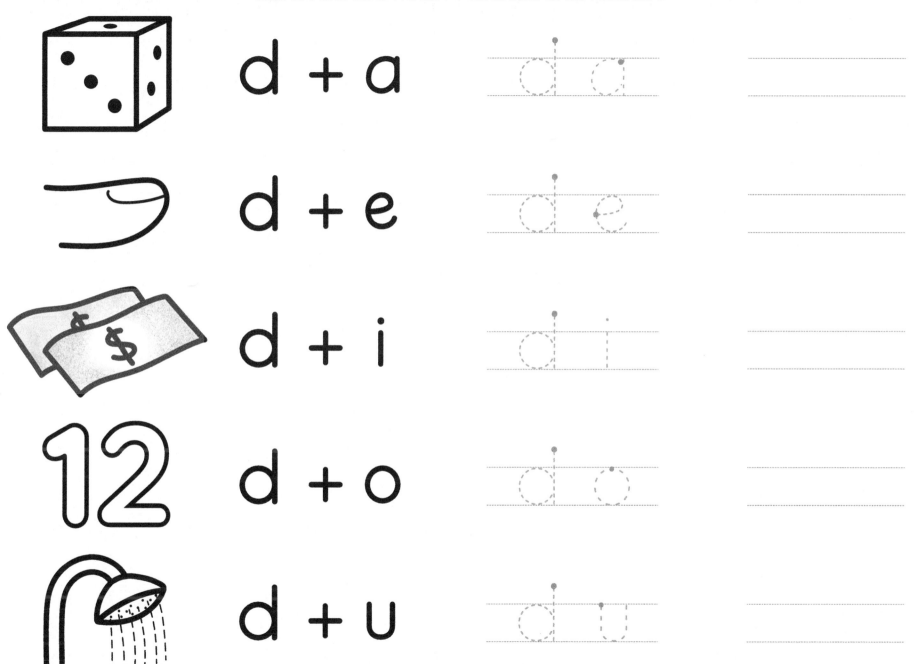

d + a

d + e

d + i

d + o

d + u

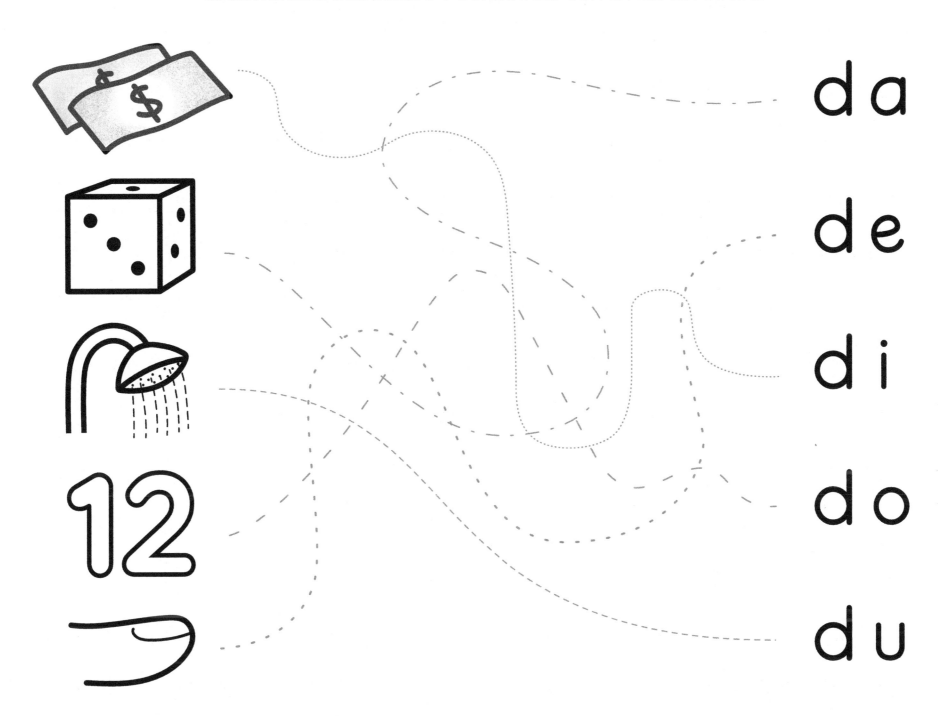

12 da di do

da du de

du de da

do da de

de di da

de da du

do de di

de di do

di da de

do di da

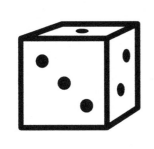

RECORTA LOS DIBUJOS Y AGRUPALOS SEGÚN SU SÍLABA INICIAL

da de di do du

PÉGALOS EN LA SIGUIENTE HOJA.

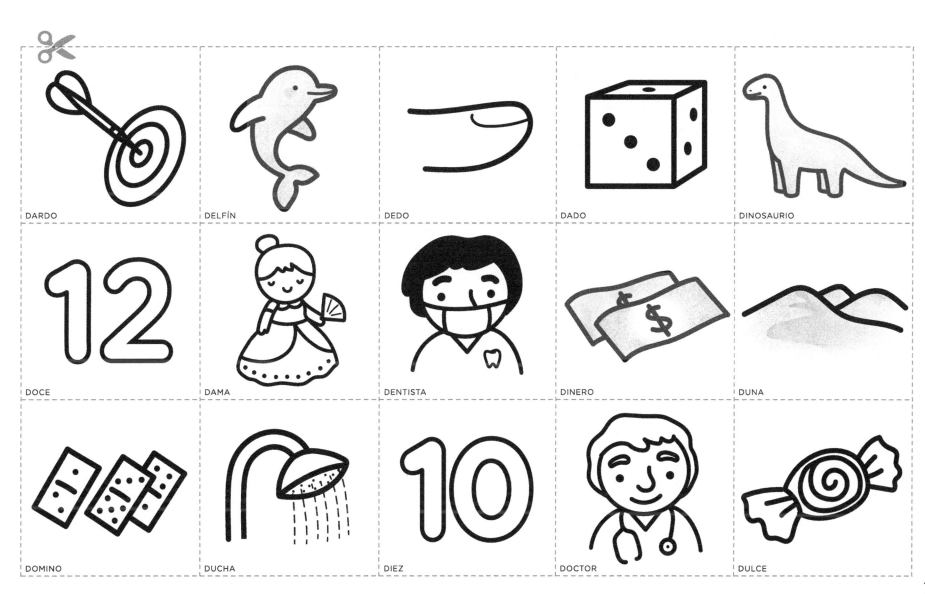

DARDO	DELFÍN	DEDO	DADO	DINOSAURIO
DOCE	DAMA	DENTISTA	DINERO	DUNA
DOMINO	DUCHA	DIEZ	DOCTOR	DULCE

da   de   di   do   du

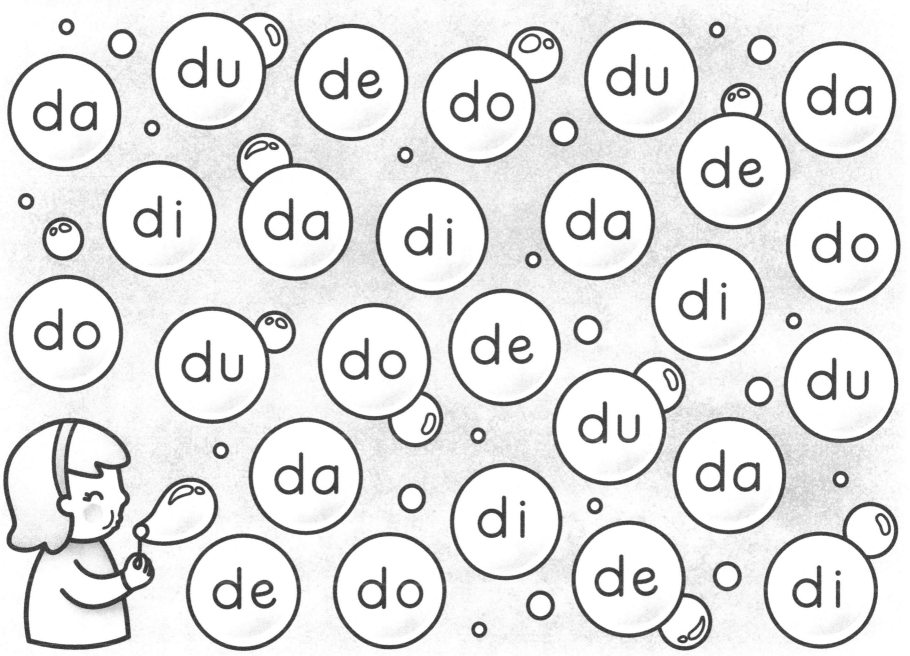

boda | dado

fino | nido

bebe | dedo

nube | nudo

duna | puma

nada | dama

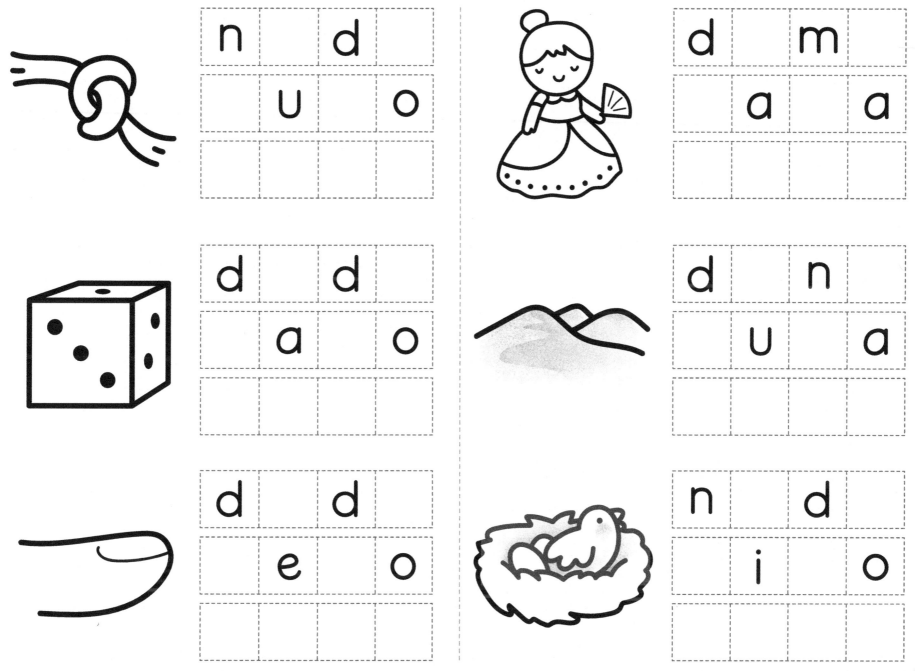

n		d
	u	o

d		m
	a	a

d		d
	a	o

d		n
	u	a

d		d
	e	o

n		d
	i	o

dado | duna | dama | nido | dedo | nudo

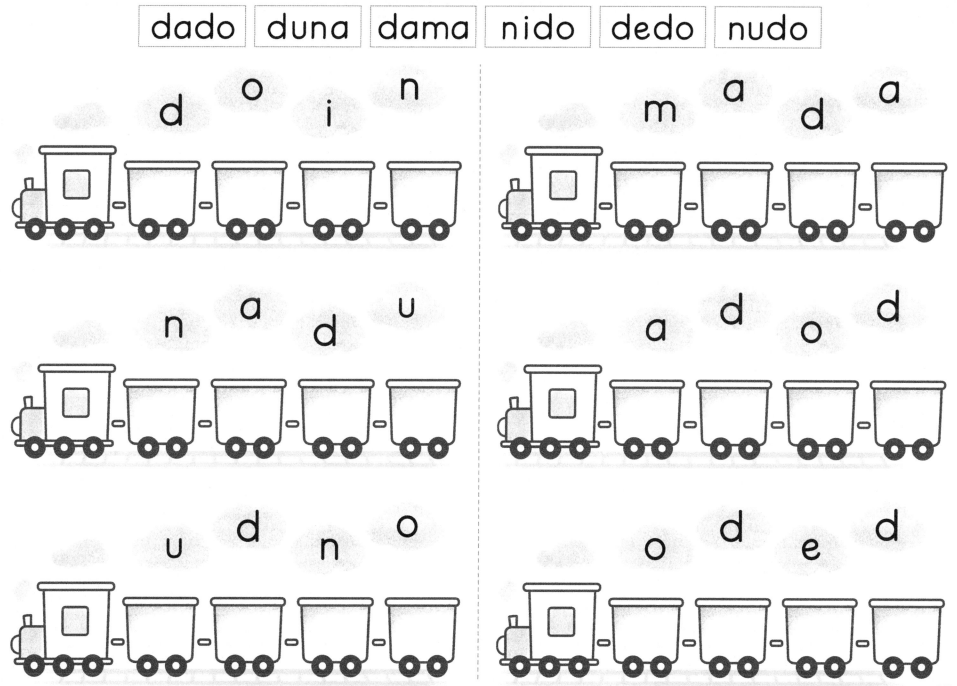

ÍNDICE

 rosa

reloj

rata

robot

regalo

rama

remo

risa

ruta

ropa

río

rubí

regla

rayas

 rey

 reno

 rayo

 rueda

 roto

 Rita

 ramo

 rabo

 nido

 nube

 nene

 niña

 nave

 noche

 naranja

 nota

 nariz

 nudo

 niños

 nevar

 negro

 nuez

 novio

 bebé

 bote

 ballena

 bota

 boca

banana

bicicleta

burro

buho

biberón

bufanda

bandera

beso

bigote

boton

becerro

bate

foca

foco

 faro

 foto

 fosil

 futbol

 felino

 filo

 febrero

 figuras

 familia

 fuego

 feliz

 farol

 fideos

 fuente

ÍNDICE

NOTAS

Made in the USA
Monee, IL
03 October 2021